UN FELICE NATALE DAL MERSEY: O CHI HA UCCISO BABBO NATALE?

UN RACCONTO BREVE

BRIAN L. PORTER

Traduzione di

CECILIA METTA

Pubblicato 2021 da Next Chapter

Copertina di CoverMint

Quarta di copertina di David M. Schrader, usata sotto licenza da Shutterstock.com

Edizione A Caratteri Grandi

INDICE

NOTA DELL'AUTORE

Un felice Natale del Mersey è stato scritto in risposta alle richieste dei lettori per una storia speciale di Natale che ruotasse intorno all'ispettore Andy Ross e alla squadra della omicidi della polizia del Merseyside. Non è un compito facile riassumere l'evolversi di un omicidio in una storia breve ma, come mio ringraziamento a tutti coloro che continuano a sostenere la serie, ecco un racconto speciale per celebrare la squadra e per augurare un buon Natale a tutti i miei lettori per il Natale 2018. Spero che vi piaccia questo racconto un po' più leggero di un crimine insolito che si svolge tre giorni prima di Natale. Riusciranno Ross, Izzie Drake e la squadra a risolvere l'omicidio di un Babbo Natale dei grandi magazzini in tempo per avere il giorno di Natale libero? Che ne dite?

Nota speciale

In questa storia troverete un riferimento ai 'piedipiatti' ('bizzies'). Per chi che non ha familiarità con il vocabolario locale di Liverpool, la parola è un vecchio termine gergale che significa semplicemente "i poliziotti".

UNO
LA CHIAMATA

"Mi stai prendendo in giro, vero? È uno scherzo? Mancano tre giorni a Natale." Urlò al telefono Andy Ross, in risposta a una chiamata dalla sala di controllo della centrale della polizia di Merseyside, a casa sua. Erano le otto e mezzo di sera del 22 dicembre e lui e sua moglie Maria stavano per sedersi per cena a tarda ora, dopo aver passato un'ora a impacchettare i regali per parenti e amici.

"Non è uno scherzo, ispettore Ross," gli assicurò Jenny, che aveva il compito di supervisionare la sala di controllo. "La chiamata è stata confermata dall'agente sul posto."

"Ma la vittima... Non può essere vero, no?"

"Temo di sì e poiché lei è l'ufficiale più anziano di turno, avrà il piacere di rispondere. Ho chiamato anche il sergente Drake e mi ha chiesto di riferirle che la incontrerà lì."

"E dove sarebbe, lì?" Chiese Ross, rendendosi conto che Jenny non gli aveva ancora indicato il luogo del delitto.

"Pearson's Emporium," rispose la donna. "È quel nuovo grande magazzino economico che ha aperto nella vecchia banca chiusa di..."

"So dov'è, grazie, Jenny."

"Allora te lo lascio, va bene? Assicurati solo che, quando arrivi, non ci sia una slitta in doppia fila con una mezza dozzina di renne attaccate," scherzò la donna.

"Va bene, sono convinto. Sarò lì il prima possibile," confermò Ross. Mentre l'ispettore rimetteva il telefono sulla base sul tavolo vicino alla porta d'ingresso della sua casa a Prescot, a pochi chilometri dal centro di Liverpool, Maria apparve dalla porta del salotto.

"Non sarà una chiamata, vero?" sembrava delusa ma rassegnata al fatto che tutto questo faceva parte del lavoro di suo marito.

"Scusami. Non ci crederai mai," esitò l'uomo prima di continuare. Aveva un sorriso ironico sul volto, insolito considerando che la sua serata era appena stata interrotta.

"Avanti, sputa il rospo," disse Maria, "A cosa non dovrei credere?"

Incapace di contenersi, Andy Ross attirò a sé sua

moglie, tenendole una mano su ogni spalla, le diede un breve ma amorevole bacio e le sussurrò all'orecchio: "Qualcuno ha appena ucciso Babbo Natale!

"Andy, non fare lo stupido con me. Dai, cos'è successo per trascinarti fuori a quest'ora della notte?"

"Te l'ho appena detto. Qualcuno ha ucciso Babbo Natale," la guardò negli occhi e Maria capì che suo marito era mortalmente serio.

"Dici sul serio, vero?"

"Sì, sembra che qualcuno abbia fatto fuori il Babbo Natale di quel grande magazzino, Pearson's Emporium, in città."

Ross prese il suo cellulare dal suo posto sul caricatore in camera da letto, tirò fuori dall'armadio il suo cappotto caldo color cammello che Maria gli aveva comprato un paio di Natali fa, e fece scivolare il telefono in una delle tasche profonde. Prese i guanti di pelle marrone, aggiunse un paio di scarpe di pelle nera, che stonavano con il cappotto e i guanti, ed era fuori dalla porta e nella sua macchina dopo dieci minuti dalla ricezione della chiamata dalla centrale.

DUE
IL CORPO

PEARSON'S EMPORIUM ERA simile a molti dei negozi di quel tipo che stavano aprendo in cittadine e città in tutto il paese, dato che molti negozi vecchi e consolidati chiudevano l'attività a causa dell'attuale crisi economica, per essere rimpiazzati da altri che operavano con budget ridotti e margini minuscoli, di solito con affitti brevi. Queste attività di solito operano con profitto fino a quando possono rimanere economicamente sostenibili, prima che i loro proprietari chiudano le porte un'ultima volta e passino a pascoli nuovi.

Erano quasi le 21.20 quando Ross si fermò all'ingresso del negozio, parcheggiando sulle doppie linee gialle immediatamente fuori dalle doppie porte a vetri del negozio. Era sicuro che non ci fossero vigili urbani in servizio a quell'ora della notte, quindi era certo che non avrebbe ricevuto nessuna multa. Vide subito che il suo sergente, Clarissa (Izzie) Drake era già sul posto, dato che la sua macchina era parcheggiata qualche metro più avanti lungo la strada. La donna aveva convenientemente lasciato lo spazio più vicino alle porte per il suo capo.

Andy Ross era il capo operativo della sezione omicidi della polizia di Merseyside, istituita per indagare su casi strani o insoliti che non rientravano nelle normali competenze della polizia criminale. Izzie Drake era stata suo sergente e partner per così tanti anni che i due avevano sviluppato un rapporto di lavoro quasi telepatico e chi li conosceva bene pensava che potessero quasi leggersi nella mente. Insieme alla loro squadra di detective esperti e altamente qualificati, il meglio del meglio, come li definiva Ross, erano stati responsabili della cattura e dell'arresto di alcuni dei più pericolosi e subdoli assassini che la polizia aveva affrontato nei dieci anni precedenti.

Ross fu accolto all'ingresso del negozio da due agenti in uniforme, entrambi poliziotti, e Ross suppose che ce ne fossero altri all'interno, come evidenziato dalla presenza di due veicoli Peugeot della polizia parcheggiati lì vicino. Ross mostrò il suo tesserino avvicinandosi agli agenti, identificandosi e sbottonandosi il cappotto mentre il calore dell'interno del negozio lo faceva sudare all'istante.

L'agente Roger Dixon informò Ross che il

sergente Drake era già al secondo piano dell'edificio, insieme agli agenti Greig e Forsyth, dove si trovava la grotta di Babbo Natale. Dixon confermò anche che dal loro arrivo, lui e l'agente Newton, supponendo che potesse esserci stato un omicidio, avevano vietato a chiunque di lasciare l'edificio e che sia il personale sia i clienti stavano aspettando di essere interrogati nel ristorante del negozio, situato all'ultimo piano. Al momento erano sorvegliati dalle due guardie di sicurezza del negozio, fino all'arrivo di altre unità della polizia.

Izzie lo stava aspettando mentre Ross usciva dall'ascensore al secondo piano e si dirigeva verso la grotta, che si trovava immediatamente di fronte a lui, al centro del piano del negozio, dove sarebbe stata imperdibile per i bambini desiderosi di uscire dall'ascensore con i loro genitori.

"Non è quello che ci aspettavamo a ridosso del Natale, vero?" chiese lei, accompagnandolo nella grotta attraverso un arco argentato ricoperto di decorazioni, sorvegliato da due elfi, vestiti con sgargianti costumi rossi e verdi. Erano automi alimentati elettricamente che normalmente passavano le ore di apertura del negozio annuendo con la testa ed emettendo voci registrate che davano il benvenuto ai visitatori alla Grotta di Babbo Natale. Ross ringraziò interiormente Dio per la piccola grazia che fossero stati spenti quando il negozio aveva chiuso alle 8 di sera, anche se, stando lì, inanimati, con i loro sorrisi fissi al loro posto, avevano un aspetto piuttosto spaventoso e snervante.

"Decisamente no," concordò Ross, seguendola nella grotta. Due poliziotti fecero un cenno di saluto mentre lui passava davanti a loro con Drake. Lì, al centro della scena natalizia addobbata a festa, che sembrava il laboratorio di Babbo Natale al Polo Nord, c'era un grande trono imbottito di velluto rosso, sul quale l'inconfondibile figura di un uomo vestito con il tradizionale costume di Babbo Natale, sembrava, all'osservatore casuale, essersi addormentato con la testa china in avanti e il mento barbuto appoggiato sul petto ampiamente imbottito.

"Che cosa abbiamo allora, Izzie?" chiese, presumendo che lei avesse già scoperto alcune informazioni di base prima del suo arrivo.

"Babbo Natale, alias Daniel Thomas, è stato trovato così poco prima dell'orario di chiusura. La grotta non aveva avuto visitatori nella mezz'ora precedente e il responsabile del piano era venuto a dire a Danny, come era conosciuto, di fare i bagagli e di andarsene per la notte. Non ricevendo risposta da Danny, in un primo momento aveva pensato che l'uomo si fosse addormentato e si era fatto avanti, con l'intenzione di dargli uno scappellotto e un leggero rimprovero. Come dice il signor Revitt, il responsabile del piano, Danny aveva quasi settant'anni e non sarebbe stato troppo duro con lui.

Purtroppo, quando si è avvicinato a Babbo Natale, ha visto questo."

Izzie prese Ross per un braccio e lo guidò al lato del trono di Babbo Natale, dove indicò un coltello, conficcato in profondità nel collo del vecchio. Non c'era chiaramente alcuna possibilità che si trattasse di un incidente, suppose Ross.

"Ah," disse Ross. "Qualcuno ovviamente non amava il povero vecchio Babbo Natale."

"Puoi dirlo forte," annuì Drake. Credo che il nostro problema stia nel fatto che nessuno sa quando è successo. L'assassino potrebbe essere ancora nel negozio o potrebbe essersene andato in qualsiasi momento dalle 19:15, che è stata l'ultima visita registrata dei bambini alla Grotta."

"Quindi il nostro assassino potrebbe essere a chilometri di distanza o potrebbe essere seduto al piano di sopra a sorseggiare un tè o un caffè mentre noi cerchiamo di risolvere la questione," disse Ross. "Speravo che non ne avremmo avuto bisogno, ma credo che dobbiamo far venire qui alcuni della squadra per svolgere i primi colloqui con le persone di sopra."

"D'accordo," rispose Drake, "mi metto al telefono e li convoco. Chi vuoi, capo?"

"Derek McLennan, Tony Curtis e Sam Gable dovrebbero essere sufficienti per ora. È un peccato che Sofie sia a casa in Germania," disse, riferendosi alla detective tedesca momentaneamente nella squadra, Sofie Meyer. Quante persone abbiamo nel ristorante?"

"Quarantadue, ma la maggior parte sono membri del personale. Solo sedici clienti erano rimasti nel negozio quando il corpo è stato scoperto alle 19:45."

"Bene, fai venire anche Devenish. Questi due bravi ragazzi possono aiutare a raccogliere le prime dichiarazioni e i nomi e gli indirizzi di coloro che sono ancora sul posto," decise Ross, indicando i due poliziotti che in quel momento erano utili quanto i due elfi all'ingresso della grotta.

Un tintinnio annunciò l'arrivo dell'ascensore e quando le porte si aprirono, uscì il rotondo e sempre in sovrappeso anziano medico legale il dottor William Nugent, seguito da vicino dal suo assistente cadaverico, Francie Lees, che i membri della squadra di Ross prendevano in giro in privato dicendo che sembrava più morto di alcune delle povere anime su cui lui e il suo capo lavoravano all'obitorio. Lo stesso Nugent, esperto nel suo campo, era conosciuto come Willie il Grasso dagli investigatori, anche se quel soprannome non veniva mai menzionato al di fuori della stanza della squadra omicidi.

Nugent attraversò a grandi passi il negozio dirigendosi verso la grotta con Lees che lo seguiva, sembrava appesantito dalle due macchine fotografiche e da una pesante borsa di attrezzature fotografiche e forensi appoggiata sulle sue spalle, che sembrava abbastanza pesante da slogare le braccia del pover'uomo. Sembrava infelice come al solito e, per qualche motivo, indossava un cappello rosso e bianco da Babbo Natale, totalmente fuori luogo sulla testa di Lees, soprattutto considerando le circostanze.

"Ispettore Ross, sergente Drake, tanti auguri per le festività a voi due," disse Nugent, facendo trapelare appena un accenno del suo accento di Glasgow. Aveva lasciato Glasgow più di vent'anni prima, ma l'accento non lo aveva mai abbandonato, e diventava sempre più forte quando era stressato o agitato.

"Anche a te, doc," rispose Ross. "Come il suo cappello, signor Lees," aggiunse con una nota di sarcasmo nella voce.

Lees borbottò qualcosa in risposta che Ross non riuscì a cogliere e guardò con curiosità verso Nugent.

"Ah, il cappello," sorrise. "Il giovane Francis lo indossa per una scommessa. Uno dei miei colleghi ha detto che avrebbe donato cento sterline a un ente di beneficenza a scelta di Francis se avesse indossato quel cappello dall'aspetto mostruoso a ogni chiamata che avremmo ricevuto durante il periodo dell'Avvento, quindi gli mancano solo un paio di giorni e la RSPCC riceverà una bella somma per Natale."

"Molto nobile da parte sua, signor Lees, non sei d'accordo, Izzie?" Ross si addolcì un po' nei confronti di Lees.

"Oh, sì. Sono sicuro che l'ente di beneficenza per

i bambini le sarà grato per il contributo," rispose Drake.

"Oh no, donerà il denaro in forma anonima," aggiunse Nugent.

"Cosa? Ti sei fatto passare per un idiota per tutto il mese e non vuoi nemmeno che sappiano da chi provengono i soldi?"

Lees si limitò a sorridere sardonicamente in risposta.

Ross scosse la testa per lo stupore. "Ah, beh, il mondo è bello perché è vario," rispose, chiudendo l'intermezzo del cappello.

"Ora, cosa abbiamo qui?" Chiese Nugent a nessuno in particolare, mentre iniziava l'esame del corpo di Danny Thomas. "Ah!" esclamò dopo circa un minuto. "Direi che è lecito supporre che il poveretto sia morto a causa della brutta coltellata al collo," azzardò.

"Cosa? Un parere prima dell'autopsia? Si sente bene, dottore?" Ross stava sorridendo mentre parlava.

"Molto divertente, ispettore Ross. Persino io posso fare una previsione ragionevole basandomi su quell'arma che spunta dal collo del povero vecchio Babbo Natale."

"Si chiama Daniel Thomas, ha 65 anni, così mi hanno detto," precisò Ross.

"Sì, beh, per me è Babbo Natale e quella cosa che ha al collo non è un'arma da killer professionista. A me sembra un coltello da cucina. Naturalmente ne sarò certo quando l'avrò rimosso." Replicò Nugent.

Un altro scampanellio dall'ascensore annunciò l'arrivo del capo della squadra della scientifica, Miles Booker, e di quattro dei suoi tecnici, ognuno carico di qualsiasi attrezzatura di cui sentiva di aver bisogno in base alle informazioni che aveva ricevuto.

"Tutto tuo, Miles," disse Ross. "Io e il mio gruppo saremo al piano superiore a parlare con i potenziali testimoni."

"Dove sono i tuoi?" chiese Booker guardandosi intorno e non vedendo un solo membro della squadra investigativa di Ross, a parte, naturalmente, Izzie Drake.

"Stanno arrivando, spero," rispose Ross, guardando la Drake per avere conferma, mentre si dirigeva verso di lui.

"Allora?" chiese lui.

"Stanno arrivando," rispose lei.

TRE
I TESTIMONI

"E LEI NON HA MAI INCONTRATO IL signor Thomas prima di assumerlo come Babbo Natale?" chiese Ross a Edwin Pearson, il proprietario e gestore dell'emporio.

"Proprio così. Ho fatto alcuni colloqui, forse venti candidati, e Danny era quello giusto per il lavoro. Sembrava naturalmente amichevole, divertente e allegro, proprio quello che ci si aspetta da Babbo Natale, se capite cosa voglio dire."

Ross annuì. "Ha fatto dei controlli sulla sua idoneità, controllato le referenze, ecc.?"

"Certo, e ha dovuto superare il controllo della polizia prima di essere autorizzato a lavorare a stretto contatto con i bambini. Ha già fatto questo lavoro in un paio di negozi in città."

"Qualche lamentela da parte di qualcuno da

quando è qui? Nessun cliente che lo ha accusato di qualcosa, nessun litigio con altri membri del personale?"

"No, Danny era un brav'uomo, per quanto ho potuto vedere. Nessuna lamentela, sempre puntuale e andava davvero d'accordo con i bambini che venivano a trovarlo."

Il resto della squadra di Ross era al lavoro per parlare con i membri dello staff e con i pochi clienti che erano nel negozio al momento stimato della morte di Babbo Natale. Non tutti erano stati al secondo piano al momento dell'omicidio e quindi potevano essere rapidamente eliminati dall'elenco dei sospetti. La prima svolta nel caso arrivò quando il detective Lenny (Tony) Curtis, così chiamato per la sua notevole somiglianza con l'omonimo idolo del cinema, parlò con una donna che cercava in modo molto aggressivo di farsi ascoltare da qualcuno.

"Uno di voi, per favore, può ascoltarmi?" gridò la donna. "La mia bambina ha bisogno di andare a casa e di mettersi a letto. Domattina deve alzarsi presto per andare a scuola e ha visto chi ha ucciso Babbo Natale!"

Avendo appena finito di parlare con un inutile impiegato del reparto giocattoli, Curtis si avvicinò immediatamente alla donna, con entrambe le mani alzate facendole segno di calmarsi.

"Signora, sono il commissario Curtis. Per favore, si calmi. Venga a sedersi," disse, conducendola nell'area dove erano state messe a disposizione delle sedie in modo che la polizia potesse condurre i suoi interrogatori un po' più comodamente. "Lei afferma che sua figlia ha visto l'assassino?"

"Sì, ha visto il maledetto assassino. È da mezz'ora che cerco di dirlo a qualcuno, ma nessuno vuole sentire cosa ha da dire la mia Maisie, perché ha solo dieci anni. Ma vi dico che lei non dice bugie."

"Ok, ok," Curtis fece del suo meglio per calmare la donna. "E il suo nome è?"

"Carrie, Carrie Poole, e questa è mia figlia, Maisie," indicò la figlia, una bambina dai capelli biondi, magra, ma non denutrita, che stringeva tra le braccia un grande orsacchiotto, con le etichette del negozio attaccate. Curtis si chiese se la bambina e sua madre fossero taccheggiatrici molto intelligenti o molto stupide.

"Ciao Maisie," iniziò Curtis, con la voce più amichevole possibile. Non era abituato a interrogare bambine dell'età di Maisie. "Che bell'orsacchiotto. È tuo?"

"Non essere stupido," rispose Maisie. "Ho dieci anni, non due. Sono troppo grande per gli orsacchiotti. Questo è un regalo di Natale per la mia sorellina, Susie."

"Ah, capisco," disse Curtis, sentendosi un po' in colpa per aver pensato il peggio della mamma di Maisie. "E dov'è Susie adesso?"

"È a casa con mio padre. È troppo piccola per

venire a fare shopping con me e la mamma. Ha tre anni."

Sentendo che aveva fatto abbastanza per calmare Maisie e per poterle fare alcune domande pertinenti, Curtis andò avanti.

"Ora, Maisie, tua mamma dice che hai visto chi ha aggredito Babbo Natale. È vero?"

"Sì, ma la mamma non mi ha creduto all'inizio."

"Ma ora ci crede. Giusto?"

Carrie Poole annuì mentre Maisie rispondeva: "Sì. Lei sa che non dico bugie."

"Allora dimmi, per favore, Maisie," Curtis fece un respiro profondo, chiedendosi cosa sarebbe successo dopo, "chi ha aggredito Babbo Natale?

"Babbo Natale," fu la risposta di Maisie.

"Sì, qualcuno ha aggredito Babbo Natale, lo so," disse Curtis, "Ma chi hai visto?"

"Babbo Natale," ripeté Maisie. "L'*altro* Babbo Natale."

Curtis sentì improvvisamente un formicolio lungo la schiena. Questa ragazzina poteva davvero aver visto qualcosa di rilevante.

"Quale altro Babbo Natale sarebbe, Maisie?" chiese l'ispettore, mantenendo la voce il più tranquilla e uniforme possibile.

"Non sono una stupida," rispose la bambina, e poi, tenendo la propria voce bassa e in un tono quasi cospiratorio, in modo che gli altri bambini non potessero sentirla, continuò: "So che Babbo Natale non è reale, sapete, ma è bello che i bambini piccoli credano in lui, no? Comunque, Babbo Natale era seduto sulla sua sedia, ma non c'erano bambini che aspettavano di entrare per vederlo. Poi l'altro Babbo Natale gli si è avvicinato. Ho pensato che doveva essere un suo amico, o che il negozio avesse, tipo, due Babbi Natale, sai? Uno che lavorava mentre l'altro si riposava. Sono molto vecchi, sai, e devono avere bisogno di molto sonno," disse Maisie con voce sapiente. "Devono avere almeno trenta o quaranta anni, come te, o anche di più."

Curtis trattenne un sorriso all'osservazione ironica. Aveva trentuno anni, se ne sentiva ventuno, e qui c'era una bambina di dieci anni che ovviamente vedeva le persone della sua fascia d'età come abbastanza vecchie per essere Babbo Natale! Sentì il bisogno di coinvolgere la mamma di Maisie nella conversazione.

"Signora Poole, ha visto quest'altro Babbo Natale?"

"Beh, sì, ma non ci ho fatto caso. È stata solo un'apparizione fugace di un uomo con un vestito rosso da Babbo Natale mentre si dirigeva attraverso le doppie porte che portano alle scale laggiù," indicò, fornendo la sua informazione inutile per Curtis, tranne forse come indicazione per la polizia di come l'assassino se ne fosse andato dopo aver accoltellato Danny Thomas. Curtis provò di nuovo con Maisie.

Anche la ragazzina sembrò rendersi conto di

quanto fosse idiota la sua domanda e Maisie sgranò gli occhi mentre rispondeva: "Sì, un uomo grande e grosso, con un vestito rosso e bianco da Babbo Natale e una barba finta bianca e gli stivali neri."

"Sì, certo. Domanda sciocca, vero?"

"Già," rispose Maisie con l'innocenza della gioventù nella sua voce.

"Ok, proviamo qualcos'altro. Hai visto cosa ha fatto quest'altro Babbo Natale?"

"Oh, sì. Si è avvicinato al Babbo Natale sulla sedia e gli ha detto qualcosa. Non c'era nessuno vicino a loro e il Babbo Natale buono rideva di quello che diceva il Babbo Natale cattivo. Ho pensato che gli avesse fatto uno scherzo o qualcosa del genere. Poi il Babbo Natale cattivo è andato a mettersi accanto a quello buono, ho visto le sue labbra muoversi e poi la sua mano si è alzata e aveva in mano qualcosa che brillava. Non ho visto cosa è successo dopo perché mamma mi ha preso la mano e mi ha detto che dovevamo andare o avremmo perso l'autobus per tornare a casa, così mi sono girata e l'ho seguita. Eravamo in piedi davanti alle porte dell'ascensore in attesa che si aprissero quando qualcuno ha urlato. Dopo di che, tante persone hanno iniziato a correre e a gridare e poi l'uomo con l'uniforme grigia ha detto a noi e a tutti gli altri che dovevamo restare qui fino all'arrivo della polizia."

"Grazie Maisie," disse Curtis, rendendosi conto che la bambina gli aveva praticamente dato una descrizione precisa dell'omicidio. Era contento che quella povera ragazzina non avesse visto la vera uccisione di Danny Thomas. Non aveva bisogno di un ricordo del genere nella sua mente a dieci anni. Gli piacque l'accuratezza della sua descrizione degli eventi, compreso l'uomo in uniforme grigia, ovviamente la guardia di sicurezza di Pearson. "Andrò a parlare con il mio capo e vedremo di riportare te e tua madre a casa. Per te va bene?"

"Oh, sì, grazie. Avrò un passaggio in una macchina della polizia?"

"Forse," rispose Curtis, e poi lasciò Maisie e sua madre a guardare un'esposizione di giocattoli elettronici mentre riferiva ciò che la bambina gli aveva detto a Ross, che era arrivato in negozio dopo aver parlato con Edwin Pearson nel suo ufficio.

Ross fece poi raggruppare Izzie e Sam in modo da potersi rivolgere a tutti insieme. Parlando con Izzie, Sam Gable, Ginger Devenish e Nick Dodds seppe che altre quattro persone avevano visto il secondo Babbo Natale. Una parola con Pearson rivelò che il lavoro per interpretare Babbo Natale comportava lunghe ore al minimo salariale ed era quindi altamente improbabile che qualcuno avesse ucciso Danny Thomas perché invidioso per non aver ottenuto il lavoro, anche se Ross si rifiutava di escludere qualsiasi pista in quella fase delle indagini.

Ross chiese se qualcuno potesse dire qualcosa sul secondo Babbo Natale, a parte il fatto che indossava un vestito rosso da Babbo Natale, naturalmente. Una ragazza, Ruth Mason, quattordici anni, forse un'osservatrice un po' più attenta della maggior parte degli altri, aveva visto anche il secondo Babbo Natale e, come Carrie Poole, aveva visto l'uomo uscire attraverso le porte che portavano alle scale e infine, naturalmente, all'uscita. Ruth, tuttavia, aveva un'altra informazione che era di grande interesse per Ross.

"Quando ha attraversato le porte, ho potuto vedere che zoppicava, e ho visto un elfo che lo aspettava."

"Un elfo?" Ross pensò che questo caso stesse diventando sempre più strano.

"Sì," insistette Ruth, "un elfo e anche se li ho visti solo per un secondo prima che le porte si chiudessero, sono sicura che l'elfo ha dato un bacio a Babbo Natale."

"Va bene," disse Ross. "Grazie per l'informazione, Ruth. Sono sicuro che ci sarà molto utile."

Dopo aver raccolto le dichiarazioni di tutto il personale e dei clienti, concentrandosi su quelli che erano al secondo piano al momento dell'omicidio e avendo registrato i nomi e gli indirizzi di tutti i presenti nel negozio, Ross decise che c'era poco da guadagnare impedendo a tutti di andare a casa e così li fece andare tutti, dopo averli prima avvertiti che avrebbero potuto essere chiamati per rilasciare altre dichiarazioni nei giorni successivi se la polizia ne avesse avuto bisogno.

"Ehm, signore," disse Tony Curtis al suo capo, dopo che Ross annunciò che tutti potevano uscire.

"Cosa c'è Tony?"

"È per la giovane Maisie Poole. Ho quasi, come dire, promesso che dopo essersi fatta avanti con le sue informazioni sull'uomo che lei chiamava il 'Babbo Natale cattivo', avrei visto se potevo organizzare un passaggio a casa per lei e sua madre in una macchina della polizia. Ho pensato che, essendo Natale e tutto il resto, e visto che lei è una brava cittadina, nonostante abbia solo dieci anni..."

"Non dire altro, Tony," rispose Ross e chiamò i due poliziotti che avevano assistito lui e la sua squadra al secondo piano e li incaricò di accompagnare Carrie e Maisie Poole a casa, dopo di che avrebbero potuto tornare ai loro normali compiti per il resto del loro turno. Curtis indicò Maisie e sua madre ai due poliziotti, e li guardò mentre parlavano con Carrie. Gli agenti scortarono Maisie e sua madre fino alle porte dell'ascensore e un agente premette il pulsante di chiamata. Appena le porte si aprirono, però, la piccola Maisie si staccò da sua madre e dagli agenti e corse verso il punto in cui Curtis e Ross erano in piedi. Prima che Tony Curtis potesse dire o fare qualcosa, la piccola Maisie Poole saltò in piedi e lui reagì istintivamente prendendo la bambina in braccio.

"Grazie," disse Maisie, avvolgendo le braccia intorno al collo di Curtis e stampandoun grande bacio sulla guancia destra dell'uomo. "Non posso credere che mi daranno un passaggio su una macchina della polizia. Tutti i miei amici saranno così invidiosi. È il miglior regalo di Natale che abbia mai ricevuto."

Tony Curtis, il cui viso era diventato di un rosso acceso, abbracciò la bambina e la fece scendere delicatamente a terra. Accanto a lui, vide il suo capo sorridere ampiamente e una rapida occhiata in giro gli permise di vedere sguardi simili sui volti dei suoi colleghi.

"Va bene così, Maisie. Ho detto che ci avrei provato, no? Questo è il mio capo, l'ispettore Ross, ed è l'uomo che ha detto che va bene che tu e tua madre torniate a casa con la macchina della polizia."

Prima che potesse reagire, Ross fu il prossimo a ricevere la gratitudine di Maisie quando lei gli avvolse le braccia intorno alle gambe e gli espresse i suoi ringraziamenti.

"Per essere un piedipiatti, sei davvero un brav'uomo," disse lei. "Grazie anche a te, e spero che tu prenda presto quel Babbo Natale cattivo. Per favore, sii gentile con il signor Curtis a Natale, va bene? È stato così gentile quando mi ha parlato."

"Certo che lo farò, Maisie," rispose Ross, imbarazzato per i ringraziamenti a raffica che stava ricevendo dalla bambina. "E io sono sempre gentile con i miei detective, specialmente a Natale, non è vero, Curtis?"

"Oh sì, certo che lo è!" rispose Curtis a Maisie con un rapido occhiolino, e lei rispose con un sorriso cospiratorio.

"Andiamo Maisie," la chiamò sua madre, mentre uno degli agenti in uniforme teneva aperte le porte dell'ascensore, impedendo loro di chiudersi automaticamente. "Questi simpatici agenti devono tornare al lavoro. Non hanno tutta la notte per aspettarti, lo sai."

"Devo andare, ciao, ciao," gridò Maisie a Curtis e Ross e come un piccolo vortice alto un metro e mezzo, saltellò sul pavimento del negozio verso sua madre, le prese una mano e mentre le porte dell'ascensore si chiudevano, fu vista per l'ultima volta salutare freneticamente Tony Curtis e Andy Ross, e poi sparì.

"Bene, bene," disse Ross con un sorriso che andava da un orecchio all'altro, "Penso che tu abbia una vera fan, Tony."

"Sì," concordò Nick Dodds, che si era avvicinato per raggiungerli. "Non proprio il tuo tipo, però ci farei un pensierino, amico. Di solito le preferisci più grandi di qualche anno, vero?" Rise e Curtis allungò la mano e gli diede uno scappellotto giocoso sulla nuca.

"Vaffanculo, pervertito!" esclamò, ridendo. "Ora ho la giovane Maisie, una testimone molto importante e sono felice di averla incontrata. È una ragazza adorabile e, a differenza della maggior parte delle ragazze di oggi, sembra davvero avere un po' di rispetto per noi, la polizia, intendo."

"Va bene, facciamo i seri, gente. Abbiamo un Babbo Natale e un elfo da catturare," disse Ross e, rendendosi conto di quanto suonasse ridicolo, si diede uno schiaffo sulla fronte e disse: "Che diavolo ho appena detto?

Nick Dodds iniziò a rispondere: "Ehm, capo, hai detto..."

"So cosa ho detto, Nick. Ora tutto quello che dobbiamo fare è capire come e dove cercare i nostri due sospetti. Non possiamo certo chiedere a George Thompson di rilasciare un comunicato stampa, dicendo: "*La polizia chiede al pubblico di essere alla ricerca di un Babbo Natale zoppo e un elfo, ricercati in relazione all'omicidio di un altro Babbo Natale nel Pearson's Emporium*, vero?

George Thompson era l'ufficiale di collegamento con la stampa alla centrale e sicuramente si sarebbe fatto una risata cercando di creare un pacchetto d'informazioni per la stampa su questo strano caso.

"Non farti vedere da nessuno mentre carichi un Babbo Natale morto nel furgone," disse Ross al suo vecchio amico Miles Booker mentre lui e i suoi tecnici si preparavano a trasportare il cadavere all'obitorio della città. Ti immagini le critiche che riceveremmo se la gente, soprattutto i bambini, pensassero che Babbo Natale è morto?"

"Nessun problema, Andy. Mi assicurerò che sia al sicuro da occhi indiscreti," promise Booker.

"E la moglie di Danny Thomas, signore?" Chiese Sam Gable. "Chi può farle visita e rovinarle il Natale?"

"Penso che, date le circostanze, dovremmo farlo io e Izzie. È quasi Natale e penso che dovrebbe farle visita un ufficiale superiore, piuttosto che un paio di poliziotti Il resto di voi vada a casa e, a meno che non succeda qualcosa nel frattempo, ci incontreremo nella sala riunioni domattina alle sette. Iniziare presto potrebbe aiutarci a chiudere il caso velocemente, se siamo fortunati."

QUATTRO

BABBO NATALE BUONO, BABBO NATALE CATTIVO

QUANDO Ross e Drake si fermarono davanti all'indirizzo di Danny Thomas a Wavertree che Edwin Pearson aveva fornito loro, era tardi, molto tardi, e la mezzanotte sarebbe suonata molto presto. Mentre Drake si fermava in macchina dietro al suo capo, si prese qualche secondo per sperare che lui apprezzasse il regalo di Natale che lei e suo marito Peter Foster gli avevano comprato per Natale, dopo essersi consultati con sua moglie Maria. Izzie aveva mantenuto il suo nome da nubile per motivi di lavoro quando lei e Peter, amministratore della camera mortuaria della città, si erano sposati due anni prima. La coppia di biglietti per la partita in casa dell'Everton il giorno di Capodanno contro il Tottenham Hotspur erano nella sua borsetta sul sedile accanto a lei. Sebbene Maria Ross non fosse affatto una tifosa di calcio, avrebbe accompagnato volentieri il marito tifoso dell'Everton alla partita perché seguire la sua squadra era l'unica passione di Ross al di fuori del suo lavoro e sapeva che avrebbe significato molto per lui averla con lui alla partita.

Ross, nel frattempo, aveva provato le parole da dire alla neo-vedova signora Thomas mentre guidava lungo i pochi chilometri che lo separavano dalla casa della donna. Tutto quello che Ross aveva saputo di lei dal datore di lavoro del marito era il suo nome, Denise.

"Pronta?" chiese, mentre Izzie gli si avvicinava.

"Pronta come è possibile esserlo in tali circostanze. Odio queste situazioni," rispose lei.

"Allora andiamo," disse Ross mentre si faceva strada attraverso il cancello del giardino dipinto di verde e su per lo stretto sentiero che portava alla porta d'ingresso della casa dei Thomas. Le luci del piano di sotto erano accese ed entrambi i poliziotti presumevano che la signora Thomas fosse seduta o forse stesse camminando ansiosamente, chiedendosi perché suo marito fosse tornato così tardi dal lavoro. Anche con le tende del salotto tirate, furono in grado di distinguere lo scintillio delle luci colorate, presumibilmente di un albero di Natale, nella stanza principale della casa.

Ross cercò un campanello, ma non lo vide, quindi bussò con decisione e ad alta voce alla porta. Dopo qualche secondo la porta fu aperta da una donna che sembrava molto più giovane di Danny Thomas. Denise Thomas doveva avere almeno dieci anni meno di suo marito, e i sensi di Ross cominciarono a mettersi in allerta per qualche motivo.

"La signora Denise Thomas?" chiese, giusto per essere sicuro di avere davanti la donna giusta.

"Sì. Come posso aiutarla a quest'ora della notte?" rispose la donna, senza sembrare eccessivamente turbata da un estraneo che bussava alla sua porta a tarda notte.

Ross mostrò il suo tesserino di riconoscimento, così come Drake, in piedi accanto a lui.

"Sono l'ispettore Ross e questo è il sergente Drake. Siamo qui per suo marito, Daniel."

"Sì, che c'entra lui? Che cosa ha fatto?" chiese Denise.

"Forse potremmo entrare e sederci, signora Thomas, invece di restare qua fuori a parlare sulla porta."

"Sì, va bene," rispose lei e li condusse nel salone, dove le luci dell'albero di Natale scintillavano allegramente in un angolo e una TV a schermo grande proiettava un film in un altro angolo. L'unica grande incongruenza, per quanto riguardava Ross e Drake, era l'uomo ben vestito, seduto sul divano, che sembrava perfettamente a suo agio nella casa di Daniel Thomas. Ross seppe istintivamente che c'era qualcosa che non andava nella scena che stava vedendo.

"Ora, cosa vuole dirmi di Danny?" chiese Denise Thomas. "Oh, non faccia caso a Charlie. È il fratello di Danny. Al momento sta da noi."

Denise si avvicinò al divano e si sedette nell'angolo opposto a Charlie.

"Oh, capisco," rispose Ross, ma i suoi sensi erano tesi. "Temo di avere brutte notizie, signora Thomas. Stasera, suo marito, Daniel Thomas, è stato accoltellato e ucciso mentre si trovava sul suo posto di lavoro al Pearson's Emporium."

"Cosa? Danny? Certo che no, deve essersi sbagliato."

Ross sentiva che le parole erano giuste, ma mancavano di emozione.

"Non c'è nessun errore, temo," continuò Ross. "Suo marito lavorava come Babbo Natale per Pearson, vero?"

"Sì, ma..."

"Allora non c'è nessun errore. Le chiederemo di identificare ufficialmente il corpo, naturalmente, ma possiamo aspettare fino a domani."

Denise Thomas sembrava senza parole, e Izzie Drake decise di giocare d'astuzia. Fece l'occhiolino a Ross, che sembrò capire che la sua collega stava per provare qualcosa.

"Deve essere stato uno shock per lei, signora Thomas. Forse potremmo tutti prendere una bella tazza di tè. Signor Thomas, Charlie, forse può aiutarmi in cucina mentre l'ispettore capo Ross parla con sua cognata?"

"Cosa? Oh sì, giusto, certo," disse Charlie Thomas, senza aver detto una parola fino a quel momento, nemmeno alla notizia dell'omicidio di suo fratello.

Charlie Thomas si alzò dal divano insieme a Izzie che si alzava dalla sedia in cui era seduta, e mentre Izzie lo seguiva in cucina, sia lei che Ross non poterono non notare la zoppia nella camminata del fratello di Danny Thomas. Ross fece un cenno a Drake e si alzò anche lui. "Ha una gamba malandata, vero, signor Thomas?"

"Cosa? Oh sì, ho avuto un incidente d'auto da ragazzo e mi si è rotta in due punti. Non è mai guarita bene e mi ha lasciato questa zoppia."

"Ma lei riesce a muoversi bene, immagino?"

"Beh, sì."

"Siete usciti stasera, tutti e due?" Le antenne investigative di Ross erano ora in piena allerta. Era come uno squalo a caccia, e poteva sentire il sangue nell'acqua.

"No, siamo stati qui tutta la sera a guardare la televisione."

"Cosa avete guardato?" chiese Drake.

I due si guardarono. Denise rispose: "Oh beh, un po' di questo e di quello, sa?"

"No, non lo sappiamo. Perché non ce lo dite?" Ross li incalzò per avere una risposta. Quando entrambi tacquero, Drake chiese a Denise, "Andiamo, signora Thomas. Andiamo a mettere su il bollitore."

Sollevata per essere sfuggita a quel calderone di pressione in cui si era trasformato il suo salotto, Denise Thomas seguì Izzie mentre andava alla ricerca della cucina. Non appena entrò nella stanza, gli occhi di Izzie Drake si fermarono sul ceppo di coltelli che si trovava sul bancone della cucina. Vide subito che mancava un coltello.

"Perché non ci dice la verità, Denise? Non siamo idioti, sa?"

"Non so cosa intende dire." rispose Denise.

"Oh, io penso di sì," insistette Drake. "Vedo che manca un coltello. Scommettiamo che quando controlleremo, troveremo che il coltello che ha ucciso suo marito corrisponde a quelli nel ceppo?"

Denise Thomas si mise a piangere. Era ovvio che né lei né suo cognato fossero in alcun modo degli assassini professionisti. Qualunque cosa fosse successa, doveva essere stata una cosa improvvisa.

"Ci amiamo" disse improvvisamente Denise, tirando su con il naso mentre le lacrime cominciavano a scorrere. Io e Charlie volevamo solo andare via insieme, ma Charlie non ha soldi e Danny non mi avrebbe mai lasciata andare."

Mentre Denise svuotava il sacco, Izzie tolse tranquillamente le manette dalla sua borsa e prima che Denise se ne accorgesse, Drake aveva fatto scattare le manette al loro posto.

Drake condusse Denise nel salone, dove fu felice di vedere che Ross aveva immobilizzato anche Charlie Thomas.

"Il vestito da Babbo Natale e il costume da elfo sono nella sua macchina, l'Astra blu parcheggiata in strada," disse Ross sorridendo alla vista di Denise Thomas in manette.

"Manca un coltello dal ceppo in cucina," confermò Drake. "Sembra che ci sia un triangolo amoroso e il povero vecchio Danny ha fatto la fine del perdente," disse.

"Povero stronzo," esclamò Ross. "Perché hai dovuto ucciderlo? Non potevi semplicemente lasciarlo?" chiese alla moglie.

"Lei dice che non potevano permettersi di andare via," rispose invece Drake.

Ross scosse semplicemente la testa. La gente non smetteva mai di stupirlo.

"Chiama la centrale, per favore, Izzie. Sistemiamo questi due in un paio di belle celle accoglienti per la notte."

"Bene capo," disse Drake, tirando fuori il suo cellulare e chiamando rapidamente i rinforzi. Non passò molto tempo prima che una macchina della polizia arrivasse e due agenti in uniforme conducessero la coppia alla centrale della polizia, dove avrebbero passato la notte prima di essere formalmente interrogati e accusati al mattino.

"La squadra avrà una bella sorpresa domattina,"

disse a Ross mentre si preparavano a separarsi e a tornare a casa con le loro auto.

"Sicuramente," concordò Ross. "Non sai mai cosa troverai quando vai a informare una vedova della morte del marito, vero?

Drake sorrise e aprì la portiera della macchina. Si voltò verso il suo capo e gli augurò la buonanotte.

"Buonanotte, Izzie," rispose Ross. "Non fare tardi domattina."

CINQUE
BUON NATALE

Il briefing mattutino non era certo quello che la maggior parte della Squadra della Omicidi si aspettava. Quelli che avevano partecipato alla chiamata della notte precedente erano sbalorditi nell'apprendere che Ross e Drake non solo avevano risolto il caso ma avevano messo anche i due assassini in custodia. Quelli che non avevano nemmeno saputo della chiamata erano pieni di ammirazione per Ross e Drake, anche se Ross sottolineò che erano stati fortunati ad imbattersi in due degli assassini più inetti che avessero mai conosciuto.

"È stato un anno movimentato, gente, ma ne siamo usciti con la squadra intatta e senza disastri. Ben fatto a tutti, e Tony, un encomio particolare per il modo in cui ieri sera hai gestito la giovane Maisie. Non solo la piccola ha aiutato a risolvere l'omicidio, ma tu ha contribuito a rendere il Natale di quella bambina davvero speciale."

"Grazie, capo," disse Curtis, "stavo solo facendo il mio lavoro."

"E un po' di più, credo," disse Ross strizzando l'occhio al suo detective, che avrebbe passato la maggior parte della mattina a spiegare ai suoi colleghi cosa aveva fatto la notte precedente.

La porta della sala operativa si aprì per accogliere l'ispettore capo Oscar Agostini. Al comando della squadra, Agostini era sceso dal suo ufficio, avendo appena letto i rapporti sulla criminalità notturna e visto i dettagli dell'operazione della sera precedente.

"Buongiorno a tutti," disse, allegramente. "Mi pare di capire che le congratulazioni siano d'obbligo, Andy. Dev'essere una specie di record, anche per voi super poliziotti. Chiamata e crimine risolto, colpevoli in custodia entro 4 ore. Non male, proprio niente male."

Agostini applaudì il suo detective e il suo sergente, e senza volerlo, il resto della squadra si unì fino a quando la sala risuonò del suono degli applausi. Ross e Drake arrossirono e accettarono con grazia le congratulazioni dei loro colleghi, prima che Ross parlasse.

"Siamo stati fortunati, tutto qui, signore. Non era proprio un caso della Squadra Speciale Omicidi, ero solo l'agente di turno per quella sera. Poteva essere una rapina, un incendio, qualsiasi cosa."

"Non fare il modesto, Andy. La chiamata non avrebbe potuto ricadere su un uomo, e una donna, migliori, Drake. Vi siete mossi rapidamente e avete chiarito l'intera faccenda in pochissimo tempo. Non tutti gli agenti in servizio avrebbero saputo farlo."

"Ok, riconosco quando perdo," disse Ross. "A nome mio e di Izzie, vi ringrazio tutti, e visto che mancano solo due giorni a Natale, i drink li offro io dopo il lavoro, solito posto. Avete tutti lavorato duramente ed è il minimo che possa fare."

"Oh no, non lo farai, Ross," disse una voce femminile dal fondo della stanza della squadra. Nessuno aveva notato che era entrata nella stanza la sovrintendente capo Sarah Hollingsworth, a capo della divisione investigativa della centrale della polizia. "Ho saputo anche io delle imprese di ieri sera e i drink li offro io, signore e signori. Sono dannatamente orgogliosa di avervi tutti nella mia squadra e da oggi faccio rimanere a casa per tre giorni la Squadra Speciale della Omicidi. A meno che non ci sia un caso davvero terribile che richieda la vostra speciale competenza, siete tutti in licenza fino al 27 dicembre. Se qualcuno di voi ha già delle ferie prenotate durante le vacanze, vi saranno accreditati quei tre giorni. Questo è il mio modo personale di ringraziare tutti voi per il vostro lavoro negli ultimi dodici mesi."

Un silenzio attonito riempì la stanza per circa tre secondi, fino a quando Ross stesso iniziò un giro di applausi, che fu ripreso dal resto della squadra, e riuscì a dire "Grazie, signora" prima che la sovrintendente lasciasse silenziosamente la stanza.

"Bene, gente, credo che questo concluda le cose per noi. Izzie e io andremo a parlare con Denise e Charlie Thomas dell'omicidio di suo marito ma, dato che nessuno dei due è quello che potremmo definire un criminale di carriera, non dovrebbe volerci molto per sapere come si sono svolti i fatti, anche se hanno nominato un avvocato. Il resto di voi sistemi le carte, Paul, assicurati che i file del computer siano aggiornati e che venga incluso il caso di ieri sera. Potremmo anche aggiungerlo alla nostra lista di indagini riuscite, poi tu e Kat chiudete per le vacanze."

Il sergente Paul Ferris, il genio informatico della squadra, e l'assistente amministrativa Kat Bellamy, che lavorava a stretto contatto con lui, avevano aggiornato tutto ed erano pronti a spegnere per iniziare le vacanze di Natale.

Sam Gable attirò l'attenzione di Ross.

"Non potrò rimanere molto tempo al pub, signore. Sto andando a Oldham per trascorrere le vacanze con Ian."

Durante una recente indagine, Sam aveva lavorato con un membro della Greater Manchester Police Force, il sergente Ian Gilligan e i due avevano iniziato una relazione romantica. Ross era felice per Sam.

"Non devi scusarti, Sam. Vai via quando devi e divertiti con Ian."

"Grazie, capo," la donna sorrise e diede un bacio sulla guancia a Ross.

Quando giunse il momento di uscire per andare al pub, Ross diede una rapida occhiata alla sala quasi silenziosa della squadra. Per una volta, non c'erano scambi di battute che rimbalzavano per la stanza, nessun rumore di dita che battevano intensamente sulle tastiere, o il suono delle voci che parlavano al telefono sulle scrivanie per lo più deserte. Ross si diresse verso l'ampia vetrata che dava sul parcheggio della stazione e vide leggere raffiche di neve che soffiavano nel vento, aggiungendo ai suoi pensieri una sensazione di pace e buona volontà natalizia. Un ultimo pensiero lo rivolse ai due assassini di Danny Thomas, la vittima innocente dell'omicidio di Babbo Natale, che ora stavano in cella in attesa di essere rinviati a giudizio. Il loro piano sconsiderato che speravano li avrebbe portati a un futuro insieme avrebbe probabilmente avuto come risultato che non si sarebbero mai più rivisti, dopo il loro processo e la loro condanna. Un colpetto sulla spalla lo fece uscire dalla sua fantasticheria solitaria. Era Izzie Drake.

"Sei pronto ad andare?" chiese lei.

"Decisamente," rispose lui. "Andiamo, non vedo l'ora di far spendere soldi alla sovrintendente e ho bisogno di un drink."

Un'ora dopo, mentre le bevande scorrevano, il

pub si stava riempiendo e la squadra di Ross entrava nello spirito natalizio, con battute e risate che abbondavano, il sergente Bob Willis, un vecchio amico di Ross che quel giorno era stato alla reception della centrale, si avvicinò al gruppo. Per un minuto, Ross ebbe la terribile sensazione che fosse saltato fuori un altro lavoro.

"Sto cercando Curtis," gridò Willis al di sopra del frastuono.

"Da questa parte, sergente," chiamò Curtis dal suo posto dietro Ginger Devenish, appena fuori dalla visuale di Willis. Tutti rimasero in silenzio per un minuto, chiedendosi di cosa si trattasse. Willis aveva in mano una grande busta bianca e un piccolo pacchetto incartato in modo approssimativo, con una carta da regalo natalizia dai colori sgargianti.

"Ho appena ricevuto la visita di una giovane donna," disse Willis. "Voleva essere sicura che questi arrivassero all'agente Curtis. Ha detto che non poteva attendere, perché sua madre stava aspettando fuori e dovevano andare a trovare sua nonna. Ha detto che si chiamava Maisie e che lei avrebbe saputo chi era."

Willis passò la busta e il pacchetto a Curtis, che, con un groppo in gola, li accettò dal sergente. Aprì velocemente il pacchettino e dentro c'era un piccolo orsacchiotto che mise a sedere sul tavolo davanti a sé. Rivolgendo la sua attenzione alla busta, la aprì facendo attenzione e tirò fuori un grande biglietto di

Natale con una grossa immagine di Babbo Natale sul davanti. Aprì il biglietto e mentre tutti guardavano e aspettavano, lesse le parole di Maisie Poole, scritte dalla mano di una bambina di dieci anni.

> *Agente investigativo Curtis, grazie per avermi creduto quando nessun altro lo avrebbe fatto. Spero di averla aiutata a catturare il Babbo Natale cattivo. Lei è un poliziotto molto gentile, l'ha detto anche la mia mamma. E grazie per aver mantenuto la promessa di darmi un passaggio a casa in una macchina della polizia. È stato così emozionante. Prima avevo un po' paura della polizia, ma dopo ieri sera penso che siate tutti molto gentili. So di averti detto che gli orsacchiotti sono per i bambini piccoli, ma questo è rimasto sul mio tavolino da quando ero molto piccola e ho pensato che potrebbe piacerti per portarti fortuna e per ricordarti di me. Potresti chiamarlo Maisie. La tua amica, Maisie Poole,* XXXXXXXXXX.

Tony Curtis si fermò un secondo per sciogliere il groppo ancora più grande che gli si era formato in gola e per asciugare una lacrima furtiva che minacciava di distruggere la sua immagine di macho. Poi lesse le ultime due parole del biglietto di Maisie... BUON NATALE.

Caro lettore,

Speriamo che leggere *Un felice Natale dal Mersey: O Chi ha ucciso Babbo Natale?* ti sia piaciuto. Per favore, prenditi un attimo per lasciare una recensione, anche breve. La tua opinione è molto importante.

Saluti,

Brian L. Porter e il team Next Chapter

L'AUTORE

Brian L Porter è un autore pluripremiato, i cui libri sono regolarmente in cima alle classifiche di Amazon Best Selling, e quindici dei quali finora sono stati dei bestseller di Amazon. Di recente, il terzo libro della sua serie Mersey Mystery, *A Mersey Maiden* è stato votato The Best Book We've Read This Year, 2018, dagli organizzatori e dai lettori di Readfree.ly.

A Mersey Mariner è stato votato come Miglior Romanzo Criminale nella Top 50 Best Indie Books, 2017 awards, mentre *Sheba*: *From Hell to Happiness* ha vinto la sezione Best Nonfiction e ha vinto anche il Preditors & Editors Best Nonfiction Book Award, 2017. Scrivendo con lo pseudonimo di Brian, ha vinto un Best Author Award, un Poet of the Year Award e i suoi thriller hanno ottenuto i premi Best Thriller e Best Mystery.

La sua raccolta di racconti *After Armageddon* è un bestseller internazionale e anche la sua commovente raccolta di poesie sulla memoria, *Lest We Forget*, è un best seller di Amazon.

Tre cani salvati, tre bestseller!

In un recente allontanamento dalla sua solita scrittura thriller, Brian ha scritto tre libri di successo su tre degli undici cani salvati che condividono la sua casa, con altri che seguiranno.

Sasha, A Very Special Dog Tale of a Very Special Epi-Dog è ora un bestseller internazionale e vincitore del Preditors & Editors Best Nonfiction Book, 2016 e si è piazzato al 7° posto in The Best Indie Books of 2016, e *Sheba*: *From Hell to Happiness* è un bestseller n. 1 nel Regno Unito e vincitore del premio come spiegato in precedenza. All'inizio del 2018, Cassie's Tale è stato rilasciato ed è diventato immediatamente il best-seller nella sua categoria su Amazon negli Stati Uniti.

Se amate i cani, amerete queste tre proposte che saranno presto seguite dal libro 4 della serie *Saving Dylan*.

I suoi libri per bambini scritti con lo pseudonimo di Harry Porter hanno raggiunto la vetta di tre classifiche di bestseller su Amazon negli USA e nel Regno Unito.

Inoltre, la sua terza incarnazione come poeta romantico, con il nome di Juan Pablo Jalisco, lo ha portato al riconoscimento internazionale con la sua raccolta di opere, *Of Aztecs and Conquistadors* , *arrivata* in cima alle classifiche dei bestseller in USA, Regno Unito e Canada.

Brian vive con la moglie, i figli e un meraviglioso branco di undici cani salvati. È anche lo sceneggiatore interno della ThunderBall Films (Los Angeles), per la quale è anche co-produttore di alcuni dei loro attuali progetti cinematografici.

I racconti di *The Mersey Mysteries* sono già stati scelti per l'adattamento televisivo/cinemtografico, insieme agli altri suoi romanzi, che sono stati tutti già sottoscritti dalla ThunderBall Films in un accordo di franchising cinematografico.

Il settimo libro della serie Mersey Mystery, T*he Mersey Monastery Murders*, è in arrivo.

Visitate il sito di Brian a http://www.brianlporter.co.uk
Il suo blog a https://sashaandharry.blogspot.co.uk/

Un Felice Natale Dal Mersey
ISBN: 978-4-86751-987-5
Edizione A Caratteri Grandi

Pubblicato da
Next Chapter
1-60-20 Minami-Otsuka
170-0005 Toshima-Ku, Tokyo
+818035793528

15 Luglio 2021

Lightning Source UK Ltd.
Milton Keynes UK
UKHW042341260721
387780UK00006BA/1245